Traduit de l'anglais par Élisabeth Duval

ISBN 978-2-211-05286-3
© 1999, l'école des loisirs, Paris, pour l'édition dans la collection *lutin poche*
© 1999, Kaléidoscope, Paris, pour la version française
© 1997, David McKee
Titre original : « Elmer and the Wind » (Andersen Press Ltd.)
Loi numéro 49 956 du 16 juillet 1949 sur les publications
destinées à la jeunesse : mars 1995
Dépôt légal : janvier 2011
Imprimé en France par CPI Aubin Imprimeur à Ligugé

David McKee

Elmer et le vent

Kaléidoscope
lutin poche de l'école des loisirs
11, rue de Sèvres, Paris 6ᵉ

Le vent souffle très fort aujourd'hui. Elmer,
l'éléphant bariolé, est allé s'abriter dans une grotte
avec ses amis éléphants, quelques oiseaux et cousin Walter,
celui qui fait des farces avec sa voix. Aujourd'hui il fait mine
que sa voix sort d'une niche tout au fond de la grotte
et les éléphants rient énormément.

«Ce n'est pas un bon jour pour voler», dit un oiseau.
«Mais c'est un bon jour pour les éléphants lourds», dit Elmer
en riant. «Les éléphants ne risquent pas de s'envoler.»
«Je parie que même toi, Elmer, tu aurais peur d'affronter ce vent»,
dit l'oiseau.
«Peur, moi?» dit Elmer. «Ouvre les yeux. Allons-y, Walter.»
«Revenez, ne faites pas les idiots», crient les autres éléphants.
Mais Elmer et Walter s'éloignent déjà, poussés par le vent.

Ils disparaissent derrière les arbres, et lorsqu'ils sont sûrs
que leurs amis ne peuvent plus les voir, Elmer entraîne Walter
dans une autre grotte.

«Tu as une idée derrière la tête, Elmer», dit Walter.

«Oui», répond Elmer en souriant. «Parle comme si nous étions
toujours en train de marcher au vent. Imite ma voix
de temps à autre.»

«J'ai pigé», dit Walter.
Walter parle mais c'est la voix d'Elmer qu'on entend,
elle vient de très loin, comme portée par le vent : «Difficile de garder
son équilibre», puis Walter reprend sa vraie voix : «Attention, Elmer !»

Les éléphants écoutent et commencent à s'inquiéter.
Walter crie : «Tiens bon, Elmer, accroche-toi!»

«Au secours!» crie la voix d'Elmer. «Au secours! Je m'envole!»
«Reviens!» hurle Walter. «Elmer, reviens! Au secours! Au secours!»

«Elmer a été emporté par le vent, il faut faire quelque chose»,
dit un éléphant.
«Si nous sortons, nous subirons le même sort», dit un oiseau.
«Formons une chaîne, accrochons nos trompes à nos queues»,
propose un autre éléphant. Ils sortent prudemment de la grotte,
chaque éléphant tient la queue du précédent.

«Regarde-les», dit Elmer. «Ils sont trop rigolos!»
«Revenez», crie Walter. «Vous allez vous envoler.»
Les éléphants veulent tous parler en même temps,
mais leurs trompes enroulées leur donnent
une voix bizarre.
«On s'est fait avoir!»
«Ah! les fripouilles!»
«C'est encore une farce d'Elmer et de Walter»,
disent-ils en retournant dans la grotte.
«Décidément, ils ne changeront jamais,
ces deux-là!»

Les éléphants sont sagement rentrés dans la grotte ;
Elmer et Walter les rejoignent bientôt.
Tout le monde apprécie la plaisanterie, sauf un oiseau qui dit :
« C'était bien imprudent, Elmer. »
« Mais enfin, Oiseau, un éléphant ne peut pas s'envoler »,
dit Elmer. « Je vais marcher jusqu'aux arbres pour te le prouver. »
« Encore une de ses farces ! » soupire un éléphant.

Ils regardent Elmer disparaître derrière les arbres.
Puis ils l'entendent crier : «Au secours! Le vent m'emporte!»
Les éléphants éclatent de rire : «Très drôle, Walter!»
Les cris reprennent : «Au secours! Je m'envole!»
Les éléphants ont tous le fou rire.
«Ce n'était pas ma voix, cette fois», dit Walter.

«Regardez!» piaille un oiseau. «Ce n'était pas la voix de Walter.»
Les éléphants lèvent les yeux; Elmer est au-dessus des arbres.
«Mais que fait-il là-haut?» demande un éléphant.
«Cela s'appelle voler», répond un oiseau.
«Pauvre Elmer!» s'exclame l'éléphant.

«C'est à cause de mes oreilles», pense Elmer. «Elles battent comme des ailes.»

Ses amis lui paraissent de plus en plus petits au fur et à mesure qu'il s'envole dans les airs.

«Mais c'est réellement amusant!» se dit Elmer au bout
d'un moment. Il survole les animaux de la jungle qui eux aussi
s'abritent du vent. Ils sont ébahis de voir un éléphant passer
au-dessus de leurs têtes.
«C'est Elmer», rugit un lion. «Apparemment, il a inventé
une nouvelle farce.»

Le vent tombe tout à coup, et Elmer peut enfin atterrir.
«Oh là là, j'ai vraiment une longue marche à faire
pour rentrer. Ça m'apprendra à jouer les idiots!»

Dès que le vent a cessé, les oiseaux sont partis à la recherche d'Elmer. Ils le guident maintenant sur le chemin du retour. Quand les éléphants aperçoivent les oiseaux au-dessus des arbres, ils comprennent qu'Elmer n'est pas loin, et ils se précipitent à sa rencontre. Ils ont hâte d'écouter le récit de son aventure.

«Tu avais tort, Elmer», dit un oiseau.

«Un éléphant peut être emporté par le vent.»

«Toi aussi, tu avais tort, Oiseau», dit Elmer en riant.

«C'était une magnifique journée pour voler!»